Novena da Saúde

Pe. Pereira, C.Ss.R.

Novena da Saúde

EDITORA
SANTUÁRIO

DIREÇÃO EDITORIAL:
Pe. Fábio Evaristo Resende Silva, C.Ss.R.

REVISÃO:
Luana Galvão

COORDENAÇÃO EDITORIAL:
Ana Lúcia de Castro Leite

DIAGRAMAÇÃO E CAPA:
Bruno Olivoto

ISBN 85-7200-221-9

1ª impressão: 1995

18ª impressão

Todos os direitos reservados à **EDITORA SANTUÁRIO** – 2019

Rua Pe. Claro Monteiro, 342 – 12570-000 – Aparecida-SP
Tel: 12 3104-2000 – Televendas: 0800 - 16 00 04
www.editorasantuario.com.br
vendas@editorasantuario.com.br

Introdução

"Façam tudo o que ele lhes disser!"
Esse é o grande pedido que Nossa Senhora faz a cada um de nós.

A mãe querida está sempre atenta às necessidades de seus filhos e não quer que nenhum deles viva na doença, no pecado e sem seu Filho Jesus.

Seus olhos estão sempre voltados para quem mais precisa de seu apoio e intercessão. Ela é a grande medianeira da graça de Deus. Entre tantos títulos, Maria tem um especial: Saúde dos Enfermos, Mãe de todos os doentes. E nesta novena, o olhar materno de Nossa Senhora pousa sobre vocês, irmãs e irmãos enfermos, para lhes dar o conforto, o consolo e restituir-lhes a saúde.

Assim como caminhou com Jesus rumo ao Calvário, Maria caminha com vocês e lhes dá forças para que, na fé, vençam todos os obstáculos que os afastam do seguimento pleno de seu Filho Jesus.

Ela acompanha vocês e com certeza vai indicar-lhes o melhor caminho a seguir.

Esta novena é feita para vocês, irmãos e irmãs enfermos. Que Nossa Senhora, Saúde dos Enfermos, cubra-os de bênção e de paz. Lembrem-se sempre: "Peçam à Mãe que o Filho atende".

Então, mãos à obra e corações em Deus, por intercessão de Nossa Senhora, Saúde dos Enfermos.

Oração Inicial
(Todos os dias)

Em nome do Pai, do Filho e do Espírito Santo. Amém!

Pelo conforto de todos os nossos irmãos doentes. *Ave, Maria...*

Ó Mãe querida, aqui estou diante da Senhora, cheio de fé e de confiança, para pedir-lhe a saúde. Sei que a Senhora sempre ouve seus filhos e lhes dá forças na caminhada. Atenda-me a este pedido se eu o merecer.

Sei que minha dor e sofrimento são quase nada diante do que seu Filho e meu Senhor passou por amor a mim e à humanidade. Sua paixão e morte são para nós certeza de vida nova.

Socorra-me, hoje e sempre, e também a todos os meus irmãos doentes.

Consagração
(Todos os dias)

Ó Mãe querida, Saúde dos Enfermos, que com amor caminhou com Jesus, seu filho, em sua Via-Sacra rumo ao Calvário. Eu me consagro à Senhora neste instante em que me encontro enfermo, sem saúde, mas com fé e confiança. Minha dor e sofrimento são pequenos diante da cruz de seu Filho e meu Senhor, Jesus Cristo. Em suas mãos maternas entrego minha doença e o meu sofrimento. Em seu coração, coloco meu coração para que esteja sempre em paz e no amor. Em seu silêncio, coloco meu silêncio que dedico à conversão dos pecados. Em sua vida coloco minha vida, rendendo-lhe graças pelas vocações sacerdotais e religiosas.

Que minha fé não esmoreça e eu possa ter novamente a saúde para melhor servir a Deus e amar meus irmãos.

Ó Senhora, Ó minha Mãe, sou todo seu. Ensine-me a ser paciente e a vencer os obstáculos para assim ser feliz e levar a felicidade a todos. Dê-me a bênção de Mãe querida. Amém.

Bênção Final
(Todos os dias)

Pela intercessão de Nossa Senhora, Consoladora dos Aflitos e Saúde dos Enfermos, abençoe-nos o Deus Todo-Poderoso, Pai, Filho e Espírito Santo.
– Amém.

1º Dia

Oração Inicial (p. 6)

Introdução à Palavra de Deus
É hoje o primeiro dia desta novena dedicada à Senhora, Mãe e Saúde dos Enfermos. Por isso peço ao mesmo Espírito, que gerou em seu seio o Filho de Deus, Jesus Cristo, conceda-me a sabedoria para ouvir sua palavra e colocá-la em prática.

Palavra de Deus (Jo 2,1-3,5)
No terceiro dia, houve uma festa de casamento em Caná da Galileia. Lá se encontrava a Mãe de Jesus. Também Jesus e seus discípulos foram convidados para a festa. Tendo acabado o vinho, a mãe de Jesus disse-lhe: "Eles não têm mais vinho". Sua mãe disse aos serventes: "Façam tudo o que ele lhes disser".

Meditação
Diante desse Evangelho percebemos a sensibilidade, a preocupação de Nossa Senhora. Ela sabe ver a necessidade de seus filhos, mesmo nos momentos de alegria e festa. E tanto mais ela sente a necessidade

de seus filhos que estão sem chance de caminhar, por se encontrarem doentes. Por isso, meu irmão e minha irmã enfermos, neste momento difícil, ela é a grande medianeira junto a seu filho. Não tenham medo de pedir, suplicar e fazer, enfim, a vontade de Deus. Nosso sofrimento, angústia, dor, nada é comparado ao amor, ao carinho e ao conforto de Nossa Mãe querida. Peçamos a força para vencer a dor.
Ave, Maria...

Oração
Pai querido e Deus de bondade, por intercessão de Nossa Senhora, Saúde dos Enfermos, conceda-me a graça de viver com paciência este momento. Que ele seja motivo de crescimento e amadurecimento para mim, na fé, na esperança e me faça crescer no amor. Ajude-me a viver em sua presença e assim complete em mim o sofrimento de Cristo. Amém.

Por minha perseverança na fé. *Ave, Maria...*

Mãe querida, encerrando este dia, consagro-lhe minha vida.

Consagração (p. 7)

Bênção Final (p. 8)

2º Dia

Oração Inicial (p. 6)

Introdução à Palavra de Deus
Nossa novena continua e agora é o momento de ouvirmos a palavra de seu Filho Jesus. Por isso, peço à Senhora que me ensine a ouvir sua palavra e vivê-la em minha vida. Que o Espírito Santo me dê a sabedoria e a fortaleza para ser fiel a sua palavra.

Palavra de Deus (Mt 11,2-5)
João Batista, que estava na prisão, ficou sabendo das obras que Jesus fazia e mandou dois discípulos perguntar-lhe: "És tu aquele que deve vir ou temos de esperar outro?" Jesus respondeu-lhes: "Vão e contem a João o que vocês estão ouvindo e vendo: Os cegos veem, os paralíticos andam, os leprosos ficam curados, os surdos ouvem, os mortos ressuscitam e a boa nova é anunciada aos pobres".

Meditação
Que felicidade nossa poder sentir aqui, dentro de nós, o grande amor de Nossa Senhora por seu Filho

Jesus. Aquele, que ela carregou em seu seio puríssimo, agora caminha pelo mundo dando vida em abundância para os que necessitam e têm fé. As maravilhas são recriadas. Por isso, irmão e irmã que sofrem, neste instante, lembrem-se das palavras de Jesus e peçam a bênção e proteção à Mãe, Nossa Senhora; que ela rogue por nós em nossas enfermidades.

Ave, Maria...

Oração
Ó Mãe querida e Senhora da Saúde!

Aqui estou diante da Senhora, prostrado aos seus pés, pedindo sua intercessão junto a seu Filho Jesus, para que, por meio de minha fé e de seu amor, a vontade de Deus se realize em mim e tudo o que acontecer seja para o louvor e a glória do Pai, na presença do Espírito Santo. Amém.

Por minha perseverança na fé. *Ave, Maria...*

Cheio de fé e confiança, coloco-me inteiramente em suas mãos, consagrando-me à Senhora.

Consagração (p. 7)

Bênção Final (p. 8)

3º Dia

Oração Inicial (p. 6)

Introdução à Palavra de Deus
O Espírito Santo de amor, que gerou Jesus no seio de Maria, dê-me a sabedoria para ouvir a palavra que Deus vai falar e a conserve em minha vida.

Palavra de Deus (Mc 1,29-31)
E logo, saindo da sinagoga, Jesus foi à casa de Simão e André, com Tiago e João. A sogra de Simão estava de cama, com febre. E logo lhe falaram dela. Ele aproximou-se, tomou-a pela mão e a fez levantar-se. A febre a deixou. E ela se pôs a servi-los.

Meditação
A doença traz consigo muitas consequências. A principal delas é a sensação de inutilidade, de não prestar para nada. Nós percebemos, neste Evangelho, que a grande missão de Jesus é amar aqueles que têm fé, mas também, ao mesmo tempo, dar a este agraciado uma missão. Toda a ação de Jesus no encontro com os necessitados consiste em sempre lhes dar uma nova chance para servir. Portanto, Jesus, por meio da fé da-

quele que pede, chama-o ao serviço. Do contrário não existe sentido para a vida nova. Também aquele que segue Jesus é chamado a interceder, pedir em favor dos necessitados. Ninguém deve ficar de braços cruzados. Assim foram os apóstolos, assim é Nossa Senhora. Supliquemos a ela que peça a Deus por nossa saúde e que nós sejamos serviço, para que o Reino de Deus aconteça na partilha e na vida de cada um de nós. Nossa Senhora, rogue ao Pai por nossa saúde.

Oração
Nossa Senhora, Saúde dos Enfermos, em suas mãos maternais entrego minha vida e minha enfermidade. Por bondade e misericórdia, entregue este pedido ao Pai, para que novamente, com saúde, eu possa servir os meus irmãos. Tire de meu coração a doença e tudo o que me desamina de seguir meu Deus e viver em seu serviço!

Por minha perseverança na fé. *Ave, Maria...*

Ó Mãe querida, confiamos em seu amor e, buscando seguir seu exemplo, em suas mãos colocamos nossa vida.

Consagração (p. 7)

Bênção Final (p.8)

4º Dia

Oração Inicial (p. 6)

Introdução à Palavra de Deus
Ó Espírito Santo, venha encher meu coração e minha vida, para que, com Maria, a Saúde dos Enfermos, eu possa ouvir, entender e viver a boa-nova de Jesus.

Palavra de Deus (Lc 5,23-25)
O que é mais fácil dizer: "Seus pecados lhe são perdoados ou: Levante-se e caminhe? Pois bem, para vocês ficarem sabendo que o Filho do Homem tem na terra o poder de perdoar os pecados, eu lhe ordeno (disse ele ao paralítico): Levante-se, pegue seu leito e vá para casa!" E naquele mesmo instante, levantou-se diante de todos, pegou o leito em que jazia e foi para casa, glorificando a Deus.

Meditação
Deus, em sua infinita misericórdia, tem o poder de curar todas as espécies de doenças: as do corpo e também as da alma. Por isso, constantemente, Jesus, o Deus encarnado, chama nossa atenção, puxa nossa

orelha e convida-nos a sempre caminhar, a nunca ficar de braços cruzados e sempre dar glória a ele pela vida que temos, a não desanimar diante dos obstáculos de nosso dia a dia, principalmente quando nos sentimos fracos e doentes diante do mundo e das pessoas. Peçamos a Nossa Senhora, Saúde dos Enfermos, forças para levantarmos, tomarmos nosso leito de dor e com ela glorificarmos ao Pai pela vida.

Ave, Maria...

Oração
Ó Mãe querida, Saúde dos Enfermos, muitas vezes, em nossa vida, procuramos as coisas mais fáceis, buscando comodidades. Nós lhe pedimos, não nos deixe desanimar nem sentar sobre nossa cruz para que os outros nos carreguem.

Ensine-nos a ouvir seu Filho, que nos convida a levantar e a seguir, testemunhando seu amor e sua vida. Por Cristo, com o Espírito Santo, queremos viver Deus, por sua intercessão.

Ave, Maria...

Consagração (p. 7)

Bênção Final (p. 8)

5º Dia

Oração Inicial (p. 6)

Introdução à Palavra de Deus
Continuo implorando, suplicando à Senhora Mãe que não me desampare agora. Acolha-me em seu coração materno. Que o Espírito Santo venha a mim, neste instante em que vou ouvir a palavra de Deus, e que sua sabedoria infinita anime minha vida e não me deixe sucumbir.

Palavra de Deus (Mt 9,20-22)
Pelo caminho, certa mulher, que sofria perda de sangue há doze anos, aproximou-se dele por trás e tocou-lhe a ponta da roupa, pois dizia dentro de si:
"Se eu lhe tocar a roupa, mesmo de leve, ficarei curada". Jesus, voltando-se e vendo-a, disse-lhe: "Coragem, minha filha, sua fé a salvou". E na mesma hora a mulher ficou curada.

Meditação
"Sua fé o salvou." Quantas vezes ouvimos essas palavras, quantas vezes sentimos essa realidade a nossa volta. Que maravilha! Mas também quantas vezes nos desesperamos diante dos obstáculos de nossa vida. Então negamos a Deus e não confiamos em sua palavra. Para

quem crê, tudo é possível, pois para Deus nada é impossível. Apesar da doença, dos fracassos, busquemos tocar a roupa, ou melhor, o coração de Jesus, para conseguirmos a cura. A Eucaristia e todos os outros sacramentos são os meios que temos a nossa volta para tocarmos em Jesus e sentirmos seu olhar carinhoso e suas palavras de vida: Ânimo, meu filho, minha filha, "sua fé os salvou". Nossa Senhora sempre confiou no amor de Deus e na vida em Deus. Por isso aceitou ser a Mãe de nossa Salvação. Aos pés da cruz, foi também dada a nós como mãe...

Cheios de confiança, peçamos a ela por nossa fé.
Ave, Maria...

Oração

Ó Mãe querida, Saúde dos Enfermos, aqui estou aos seus pés e suplicante lhe peço que leve a Deus minha vida, para que a cada dia eu aceite em mim sua vontade, e assim seu Filho Jesus olhe com amor para o meu coração e diga: "Vá em paz, sua fé o curou".

Mãe, quero sempre estar perto de seu coração e viver sua vida.

Ave, Maria ...

Ajude-me a servir e crescer na fé. Coloco em suas mãos minha vida e a consagro de todo coração.

Consagração (p. 7)

Bênção Final (p. 8)

6º Dia

Oração Inicial (p. 6)

Introdução à Palavra de Deus
Os dias vão passando e continuo pedindo-lhe a saúde e a vida e, neste instante, peço principalmente a sabedoria para ouvir, aprender e viver na graça de Deus, fazendo sua vontade.

Palavra de Deus (Lc 17,12-19)
Ao entrar numa aldeia, dez leprosos vieram a seu encontro. Pararam um tanto longe e gritaram: "Jesus, mestre, tenha piedade de nós!" Vendo-os, disse ele: "Vão apresentar-se aos sacerdotes". Enquanto eles iam, aconteceu que ficaram curados. Um deles, quando se viu curado, voltou atrás, glorificando a Deus em alta voz. E prostrou-se com o rosto em terra, diante de Jesus, agradecendo-lhe. Era um samaritano. Disse-lhe então Jesus: "Não foram curados os dez? Onde estão os outros nove? Ninguém voltou para dar glória a Deus, a não ser este estrangeiro?" E disse àquele homem: "Levante-se, pode ir! Sua fé o salvou!"

Meditação

Meu irmão e minha irmã enfermos, como é bom sentirmos em nossos corações a graça de Deus, a chama de uma vida nova. Mas não podemos perder de vista que, para alcançarmos a graça de Deus, é preciso sair da acomodação e ir ao encontro de Jesus; caminhar na fé e pedir sem cessar, sempre, sem se cansar, mas também é preciso agradecer após a cura ou graça recebida. Vejam o Evangelho! Será que todos foram curados? Jesus afirma que sim, mas por que só um voltou para agradecer e os outros nem ligaram. Ora, quantas vezes nós também agimos assim. Recebemos tantas coisas e nem percebemos. Só no momento em que realmente a corda já está no pescoço é que nos lembramos de Deus. Vamos, a partir de hoje, mudar um pouco nosso modo de ser. Pedir sempre e agradecer em dobro. Insistamos no pedido para que, por meio de nossa perseverança e pela intercessão de Nossa Senhora, Jesus possa dizer-nos: "Levanta-se e vá; sua fé o curou!"

Ave, Maria...

Oração

Deus de amor e de bondade, que quer sempre a saúde e a vida para os seus filhos, conceda aos nossos irmãos doentes que recobrem a vida em abundância e possam sempre louvar, glorificar e agradecer todas as graças que recebem por intercessão de Nossa Senhora, aqui sob o título de Saúde dos Enfermos. Isto pedimos por Jesus, seu Filho, nosso irmão, por intermédio do Espírito Santo. Amém.

Pela perseverança na fé. *Ave, Maria...*

Mãe da graça, o amor ensina-nos a viver como seu Filho Jesus. Consagro-me à Senhora, para viver sua vida.

Consagração (p. 7)

Bênção Final (p. 8)

7º Dia

Oração Inicial (p. 6)

Introdução à Palavra de Deus
Nós queremos ver raiar um novo dia, em uma sociedade justa e sem doença. Por isso, por sua intercessão e pelo Espírito Santo, temos a coragem de pedir a sabedoria e assim ver a vida com os olhos de Deus. Ao ouvir a palavra de Deus, queremos que ele toque nosso coração e nos ajude a vivê-la.

Palavra de Deus (Mt 20,29-34)
Enquanto saíam de Jericó, uma grande multidão os seguiu. Dois cegos estavam sentados à beira do caminho; ao saberem que Jesus estava passando, puseram-se a gritar: "Senhor, Filho de Davi, tenha compaixão de nós!" A multidão, porém, repreendeu-os, mandando que se calassem, mas eles gritavam ainda mais alto! Jesus parou e, chamando-os, perguntou-lhes: "Que querem que eu faça?" "Senhor, que os nossos olhos se abram", responderam. Cheio de compaixão, Jesus tocou em seus olhos e logo recuperaram a vista. E puseram-se a segui-lo.

Meditação

Jesus passa pela terra fazendo o bem, curando doentes, restituindo a visão aos cegos, enfim, trazendo esperança a todos. Os cegos, sentados à beira do caminho, são para nós os pobres, os marginalizados, os doentes que são deixados à margem da sociedade. São tidos como inúteis. E quantas vezes essas pessoas se acomodam e dizem: "É vontade de Deus!" Vontade de Deus coisa nenhuma, Deus não quer nada disso. Deus quer a vida, a paz, o amor, a saúde para todos os seus filhos. Então você, que se encontra enfermo neste instante, saiba que Jesus está passando a cada minuto em sua vida. Não se acomode, mesmo que as pessoas queiram fazê-lo calar a boca, tenha fé, peça, exija, grite, não fique quieto. Jesus sempre tem compaixão e, com a intercessão de sua Mãe, ele jamais vai deixar de atender a seu pedido e, curado, você tem uma missão: seguir a Jesus, testemunhar sua fé por meio de sua vida.

Que a Mãe de Jesus, a Saúde dos Enfermos, mostre-nos seu Filho e nos conceda a saúde.

Ave, Maria...

Oração

Ó Pai querido, pela intercessão de Nossa Senhora, Saúde dos Enfermos, eu lhe peço do fundo do coração: não me deixe acomodar e ficar à beira do

caminho. Ensine-me a lutar contra o mal, o pecado, a doença e assim ver sua presença em todos os meus irmãos. Possamos sempre seguir os seus passos no amor e na vida. Por Cristo, seu Filho e nosso irmão, por intermédio do Espírito Santo. Mãe da perseverança, que eu não desanime jamais!
Ave, Maria...

Para seguir seu Filho Jesus e viver seu Evangelho, eu coloco minha vida em sua vida, consagrando-me.

Consagração (p. 7)

Bênção Final (p. 8)

8º Dia

Oração Inicial (p. 6)

Introdução à Palavra de Deus

A vida de nossa Mãe sempre foi glorificar a Deus; nós queremos seguir seu exemplo, mesmo neste momento de doença. Assim, ouvindo a palavra de Deus no Evangelho, sejamos animados e possamos viver Jesus em todas as nossas ações. Espírito Santo, dê-nos sua sabedoria e nos encha de amor e fé.

Palavra de Deus (Lc 7,6-7.9-10)

Jesus foi andando com eles. Mas quando já estavam perto da casa, o centurião mandou uns amigos lhe dizer: "Senhor, não precisas incomodar-te, porque eu não sou digno de que entres em minha casa; por isso também não me julguei digno de ir ter contigo; mas diz uma só palavra e o meu empregado será salvo". Ouvindo isto, Jesus ficou admirado com ele e, voltando-se, disse à multidão que o seguia: "Eu lhes afirmo que nem mesmo em Israel achei uma fé tão grande assim". De volta a casa, os enviados encontraram o empregado completamente são.

Meditação
"Senhor, diga uma palavra e meu servo será salvo." Quanta fé, quanto amor no coração deste soldado, que é capaz de se esquecer das suas obrigações para cuidar de seu servo doente. Se os homens são assim, imagine Deus para com seus filhos! Imagine a Mãe por nós. Como somos felizes, mas não valorizamos esta felicidade. O Evangelho de hoje nos convida a perseverar na fé, mas também nos chama a viver a humildade. Conhecemos tantas pessoas que nos chamam para atendê-las em seu leito de doença, de enfermidade, e, chegando a sua casa, ficamos consolados, envergonhados e pedimos perdão por termos uma fé tão pequena. Quantas lições a vida nos reserva. Vocês, irmãos e irmãs enfermos, são para as pessoas exemplos de fé, confiança em Deus e amor a Ele. Como é bom sentir esta vida a nos rodear. Tamanha fé não pode ficar escondida nem deixar de ser recompensada. Peçamos a Nossa Senhora, a Saúde dos Enfermos e Consoladora dos aflitos, a paz, a saúde, e, a Deus.
Ave, Maria...

Oração
Pai querido, sabemos não ser dignos de que entre em nossa morada, basta uma só palavra sua e te-

remos a vida em nós. Tudo é bondade, misericórdia, enfim, é sua presença paterna a embalar nosso coração filial. Por isso hoje, ao encontrar-me enfermo, peço-lhe, pela intercessão, mediação de Nossa Senhora, conceda-me a saúde ou dê-me conformidade para viver a enfermidade com paciência e amor.

Por minha perseverança na fé. *Ave, Maria...*

Consagração (p. 7)

Bênção Final (p. 8)

9º Dia

Oração Inicial (p. 6)

Introdução à Palavra de Deus
Hoje, é o último dia de minha novena, estou feliz por conseguir chegar até aqui. Por isso peço que sua bênção e a luz do Espírito Santo invadam minha vida. Ó Jesus, que sua sabedoria infinita toque meu coração para ouvir e colocar em prática seu Evangelho.

Palavra de Deus (Jo 11,34b-44)
"Senhor, venha e veja!" Jesus começou a chorar. Os judeus comentaram:

"Veja como ele o amava!" Mas alguns deles disseram: "Ele, que abriu os olhos aos cegos, não poderia ter impedido que este morresse?" Jesus ficou de novo profundamente emocionado e foi até o sepulcro. Era uma gruta coberta por uma pedra. Ordenou Jesus: "Retirem a pedra!" Marta, irmã do morto, disse-lhe: "Senhor, já está cheirando mal, pois já faz quatro dias...". Jesus lhe respondeu: "Eu não lhe disse que, se você acreditar, verá o poder de Deus?" Então retiraram a pedra. Jesus levantou os olhos para o alto e disse: "Pai, eu lhe agradeço porque me ouviu. Eu sei que sempre me ouve; mas falo assim por causa do povo que está em volta de mim, para que creiam que o Senhor me enviou". Depois dessas palavras, exclamou com voz forte: "Lázaro, venha para fora!" O morto saiu. Suas mãos e pés estavam atados com faixas e seu rosto, coberto por um sudário. Jesus lhes disse: "Desamarrem-no e deixem que ele caminhe".

Meditação

Jesus, ao chegar ao fim desta novena, que consolo o nosso ao ouvir e meditar este trecho do Evangelho. E que puxão de orelha dá-nos em cada um. Nossa fé quase caiu por terra, desesperamo-nos com nossa enfermidade, morremos para tantas coisas bonitas, morremos em nosso comodismo. Quantas vezes não confiamos e caímos sob o peso da cruz e nos esquecemos de que nossa doença ou enfermidade era para manifestar sua glória ao mundo. Olhando agora, percebemos sua presença sempre real em nós, que não quer a doença e o mal do mundo. Assim como se comoveu e chorou pelo amigo Lázaro, comoveu e chorou também conosco. Como é grande seu amor por nós!

Agradecemos a nossa Senhora, Saúde dos Enfermos, estar conosco em nossa vida e ter-nos ensinado a virtude da paciência. Agora sabemos que tudo tem sua hora e a nossa chegou. Não estamos mais cansados,

somos desatados e nenhum obstáculo mais nos impede de viver, sentir e ter sua presença em nossos corações. Obrigado, Jesus, pelo amor. Obrigado, Mãe querida, por nos ensinar a perseverar na fé e na busca da vida. Deus seja louvado. Vemos e sentimos a Glória do Pai.
Ave, Maria...

Oração
Ó Pai querido e Deus de toda consolação, ao final desta novena, nós lhe pedimos: acolha-nos em seu coração e nos ajude a sempre glorificá-lo pelos dons e pela graça que recebemos a cada dia, por intermédio de Nossa Senhora, neste momento específico com o título Saúde dos Enfermos. Tudo isso lhe pedimos na fé, por intermédio de Nossa Senhora, e por Jesus seu Filho e nosso irmão, na unidade do Espírito Santo. Amém.

Por minha perseverança na fé. *Ave, Maria...*

Pelas graças recebidas e pela saúde de todos os enfermos. *Salve, Rainha.* Hoje, ó Mãe querida, eu me entrego à Senhora de todo o meu coração.

Consagração (p. 7)

Bênção Final (p. 8)

Índice

Introdução 5
Oração inicial (todos os dias) 6
Consagração 7
Bênção final 8
1º dia 9
2º dia 11
3º dia 13
4º dia 15
5º dia 17
6º dia 19
7º dia 22
8º dia 25
9º dia 28

A marca FSC® é a garantia de que a madeira utilizada na fabricação do papel deste livro provém de florestas que foram gerenciadas de maneira ambientalmente correta, socialmente justa e economicamente viável.

Este livro foi composto com as famílias tipográficas Adobe Caslon Pro e Bellevue
e impresso em papel Offset 75g/m² pela **Gráfica Santuário**